Gulliver Tasch

*Peter Härtling*, geboren 1933 in Chemnitz, lebt in Walldorf/Hessen. Er veröffentlichte Lyrik, Erzählungen, Romane, Essays. Im Programm Beltz & Gelberg sind bisher erschienen: *Das war der Hirbel, Oma, Theo haut ab, Sofie macht Geschichten, Alter John, Jakob hinter der blauen Tür, Und das ist die ganze Familie, Krücke, Geschichten für Kinder, Fränze, Mit Clara sind wir sechs*, das »*Erzählbuch*« (Peter-Härtling-Lesebuch), *Lena auf dem Dach, Jette* und *Tante Tilli macht Theater*. Neben anderen Literaturpreisen erhielt er für *Das war der Hirbel* den Deutschen Jugendbuchpreis.

*Eva Muggenthaler*, geboren 1971 in Fürth, studiert an der Fachhochschule für Gestaltung in Hamburg Illustration und lebt in Hamburg. Im Programm Beltz & Gelberg veröffentlichte sie Illustrationen im Nöstlinger-Lesebuch und die Bilder zu *Ben liebt Anna*.

Peter Härtling

# Ben liebt Anna

*Roman für Kinder*

*Mit Bildern von Eva Muggenthaler*

*»Ben liebt Anna«* kam auf die Auswahlliste zum Deutschen
Jugendbuchpreis und wurde mit dem Zürcher Kinderbuchpreis
*»La vache qui lit«* ausgezeichnet.

Zu *Ben liebt Anna* gibt es ein Lehrerbegleitheft,
erhältlich gegen eine Schutzgebühr von DM 3,–
Beltz Verlag, Postfach 100154, 69441 Weinheim
ISBN 3 407 99060 X

Gulliver Taschenbuch 276
© 1979, 1997 Beltz Verlag, Weinheim und Basel
Programm Beltz & Gelberg, Weinheim
Alle Rechte vorbehalten
Einbandgestaltung von Max Bartholl
Einbandbild von Eva Muggenthaler
Gesetzt nach der neuen Rechtschreibung
Gesamtherstellung Druckhaus Beltz, 69494 Hemsbach
Printed in Germany
ISBN 3 407 78276 4
5 6 7 8 9   04 03 02 01 00

*Das ist kein Vorwort.* Ich will bloß mit ein paar Sätzen erklären, warum ich die Geschichte von Benjamin Körbel und Anna Mitschek erzähle. Manchmal sagen Erwachsene zu Kindern: Ihr könnt noch gar nicht wissen, was Liebe ist. Das weiß man erst, wenn man groß ist. Dann haben die Älteren eine Menge vergessen, wollen mit euch nicht reden oder stellen sich dumm.
Ich erinnere mich gut, wie ich mit sieben Jahren zum ersten Mal verliebt war. Das Mädchen hieß Ulla. Es ist nicht die Anna in diesem Buch. Aber wenn ich von Anna erzähle, denke ich an Ulla.
Ben hat Anna eine Weile sehr lieb gehabt. Und Anna Ben.

*Peter Härtling*

## Ben stellt eine Frage

Bohr nicht in der Nase, du Indianer, sagt Mutter. Das sagt sie immer, wenn er in der Nase popelt. Jedes Mal denkt Ben, dass er noch nie eine Geschichte gelesen hat, in der ein Indianer in der Nase bohrt. Mutter hat ziemlich falsche Vorstellungen von Indianern. Wenn er grübelt, grübelt er manchmal mit der Nase. Mutter weiß das auch. Nun hat sie ihn durcheinander gebracht.

Jetzt habe ich vergessen, was ich gedacht habe, schimpft er. Dann wird es schon nicht so doll gewesen sein, sagt Mutter. Außerdem sollte einer, der bald zehn wird, nicht mehr in der Nase bohren.

Ich kenne sogar Fünfzigjährige, die das tun.

Ach, hör mal.

Der Onkel Gerhard!

Mutter dreht sich von ihm weg und Ben weiß, dass sie lacht. Doch gleich spielt sie wieder die Strenge. Es fällt ihr so schwer, dass sie das Salzfass auf dem Tisch umwirft.

Das kannst du doch nicht so einfach behaupten, sagt sie.

Doch, Grete, antwortet Ben. Er und Holger rufen Mutter Grete. Vater sagt Gretel zu ihr.

Immer musst du streiten, sagt Mutter.

Ben schüttelt den Kopf und sagt dann: Du hast mal zum Papa gesagt, der Onkel Gerhard benimmt sich manchmal wie ein Ferkel. Wo es so alte Ferkel doch gar nicht geben kann.

Er hat Mutter geschafft. Sie seufzt, räumt die Terrine vom Tisch und schlägt einen anderen Ton an. Wenn sie es ernst meint, schlägt sie den immer an.

Nun trödel mal nicht. Und mach gleich deine Hausaufgaben. Wenn der Holger kommt, soll er sie nachgucken.

Holger ist Bens dreizehnjähriger Bruder. Er ist ein Ass in der Schule und muss dafür gar nicht viel tun. Ben ist längst nicht so gut und Mutter findet, er sei ein Faulpelz. Das ist er nicht immer. Doch selbst wenn er sich Mühe gibt, kann die Klassenarbeit in die Hose gehen.

Mutter hat es jetzt eilig. Sie muss in die Praxis von Doktor Wenzel. Dort arbeitet sie nachmittags. Sie ist Arzthelferin. Mach mal los, ruft sie und ist aus der Tür raus.

Ben fängt nicht gleich an. Erst guckt er ein riesiges Loch in die Luft. Dann geht er in sein Zimmer und holt sich das Tierbuch mit den vielen Bildern. Dann füttert er sein Meerschwein, die Meersau Trudi. Dann setzt er sich wieder an den Tisch. Dann zieht er das Rechenheft und das Rechenbuch aus der Tasche. Dann klappt er es auf. Dann legt er den Füller neben den

Bleistift und den Tintentöter. Dann döst er. Dann zieht er sich die Schuhe aus und kickt sie unter den Küchenschrank. Dann bohrt er wieder in der Nase. Dann endlich fängt er an zu rechnen.

Die Aufgaben kommen ihm noch schwerer als sonst vor. Wahrscheinlich weil in seinem Kopf ganz andere Gedanken sind.

Er kann nicht rechnen, weil er an Anna denken muss. Das ärgert ihn. Aber immer wieder fällt ihm Anna ein.

Er möchte eigentlich gar nicht an sie denken. Es wäre ihm sogar lieber, er könnte richtig mit Mathe loslegen. Sonst gar nichts.

Als Holger kommt, ist Ben noch nicht einmal mit der ersten Aufgabe fertig. Holger ist prima. Er hilft ihm gern. Nun fällt Ben auch wieder ein, wie die Rechnungen gehen. Sie sind gar nicht so schwierig. Bloß wenn Anna und Mathe in seinem Kopf durcheinander gehn, klappt es nicht.

Nachdem sie fertig sind, fragt Ben leise: Du, Holger, sag mal, wie is'n das, wenn man verknallt ist?

Holger, der gerade in sein Zimmer gehen will, bleibt stehn, kommt zurück, macht es spannend. Nach einer Weile sagt er: Piept's bei dir, Zwerg?

Holger nennt ihn immer dann Zwerg, wenn er sein Alter ausspielen kann.

Ben presst die Lippen zusammen.

Holger merkt, dass er einen Fehler gemacht hat, und legt seine Hand auf Bens Schulter.

War nicht so gemeint. Richtig verknallt?, fragt er.

Ben nickt. Er kann nichts mehr sagen. Holger würde doch nur spotten.

Kenn ich sie?, fragt Holger.

Nein! Ben schreit beinahe.

Also, sagt Holger, wenn man verknallt ist, dann denkt man dauernd an das Mädchen. Und es ist so, als ob man Bauchweh hat. Wirklich.

Was Holger sagt, stimmte tatsächlich. Ben spürt, wie sein Bauch spannt oder seine Brust. Oder wie ihm überhaupt alles ein bisschen wehtut. Vielleicht war das auch nur Einbildung.

Ben schiebt den Stuhl zurück und Holger gegen die Knie. Aua!, schreit Holger auf. Du bist ein Blödmann. Erst heulst du fast und jetzt –.

Lass mich, sagt Ben, sammelt hastig Heft, Buch und Schreibzeug ein, reißt die Tasche vom Tisch und verschwindet in seinem Zimmer. Er stellt seinen Rekorder ganz laut. Das Heulen verbeißt er.

Am liebsten würde er zu Holger hinübergehen. Aber das kann er nach dem Krach nicht mehr. Er holt die Meersau Trudi aus ihrer Kiste und streichelt sie. Wenn Trudi sich besonders wohl fühlt, fängt sie an zu pfeifen. Jetzt pfeift sie.

## Anna

Anna war zu Beginn des vierten Schuljahrs neu in die Klasse gekommen. Herr Seibmann, der Klassenlehrer, hatte sie an einem Morgen vor sich durch die Tür geschoben und gesagt: Das ist eure neue Mitschülerin. Sie heißt Anna Mitschek. Seid nett zu ihr. Sie ist erst seit einem halben Jahr in Deutschland. Vorher lebte sie mit ihren Eltern in Polen.

Alles war komisch an Anna.

Sie hatte keine Jeans an, sondern ein zu langes, altmodisches Kleid. Sie hatte nur einen Zopf und auch der war zu lang. Sie war blass und dünn und schniefte.

Ben fand Anna scheußlich.

Ein paar fingen an zu kichern.

Benehmt euch, sagte Herr Seibmann. Er setzte Anna neben Katja an den Tisch und Katja rückte gleich ein bisschen weg von Anna. Anna tat so, als merkte sie das alles nicht.

Ben fand, Anna passe nicht in die Klasse. Er musterte sie noch einmal. Da hob sie den Kopf und guckte ihn an. Er fuhr richtig zusammen. Sie hatte riesige braune Augen, die waren ungeheuer traurig. Solche Augen hatte er noch nie gesehen. Er wusste auch nicht, wie er darauf kam, sie traurig zu finden. Er dachte: Solche Augen darf man nicht haben. Sie machen einem Angst. Er sah nicht mehr hin.

In den nächsten Tagen kümmerte sich niemand um Anna. Herr Seibmann mahnte die Klasse nicht gemein zu sein. Wenn Anna wenigstens mal heulen würde, dachte Ben. Das tat sie nicht. Katja fand Anna ekelhaft. Die stinkt, meinte sie, und richtig schreiben kann sie auch nicht. Mit zehn kann die nicht einmal richtig schreiben.

Bernhard sagte: Die kann vielleicht polnisch schreiben.

Die ist überhaupt eine Polin und keine Deutsche, sagte Katja.

Wahrscheinlich hat die in Polen nicht bleiben dürfen, meinte Bernhard.

Wegen Dauerstinken, sagte Katja.

Das war Ben zuviel. Er packte Katja am Arm. Hör bloß auf. Du stinkst doch selber.

Katja riss sich los und schrie so laut, dass es alle in der Klasse hören konnten: Der verteidigt Anna. Ben liebt Anna!

Ben ging auf Katja los und presste ihr die Hand auf den Mund. Sie wurde im Gesicht rot und zappelte. Lass doch, rief Regine. Pass auf, die kriegt keine Luft mehr!

Sie hatten nicht bemerkt, dass Herr Seibmann in der Tür stand und ihnen schon eine Weile zuhörte.

Lass Katja los, Ben! Herr Seibmann hatte eine Mordswut. Die war ihm anzusehen. Er forderte sie auf, an die Plätze zu gehen.

Plötzlich war es ganz still in der Klasse. Weil es so mucksmäuschenstill war, hörten sie Anna schluchzen. Sie wollte es verbeißen. Es gelang ihr nicht. Die Tränen liefen ihr über die Backen. Sie wischte sie immer wieder weg und schniefte dazu.

Herr Seibmann ging zu Annas Tisch und sagte Katja, sie solle ihren Platz mit Regine tauschen. Zu Regine sagte er: Vielleicht kannst du Anna helfen. Dann hielt er eine Rede. Er sprach zwischen den Zähnen. Er hätte wohl lieber gebrüllt.

Es kann jedem von euch passieren, dass er in eine andere Stadt und in eine andere Schule kommt. Und jeder von euch wäre erst mal fremd. Bei Anna ist das noch viel schlimmer. Sie ist in einem anderen Land, in Polen, aufgewachsen und zur Schule gegangen. Dort, in der Schule, hat sie nur polnisch gesprochen. Zu Hause deutsch und polnisch. Ihre Eltern haben in Polen gelebt, aber sie sind Deutsche. Sie haben den Antrag gestellt in die Bundesrepublik umzuziehen. Nun sind sie da. Sie wollen endlich zu Hause sein. Anna auch. Ihr macht es ihr schwer.

Ben linste zu Anna hinüber. Sie hatte den Kopf gesenkt. Es war gar nicht sicher, ob sie auf Herrn Seibmanns Rede hörte.

14

Was kann man machen, sagte Bernhard nach der Schule. Nix, sagte Katja. Sie ließen Anna in den nächsten Tagen wieder allein. Selbst Regine gab es auf, ihr helfen zu wollen. Die ist blöd, sagte sie, die redet nicht mit mir. Die ist saudumm, kann ich euch sagen.

Begonnen hat es dann mit einem alten Tennisball. Den hatte irgendeiner auf dem Schulhof gefunden. Sie hatten ihn sich im Rennen zugeworfen. Ben, Bernhard und Jens. Anna stand unter dem Kastanienbaum an der Schulhofmauer. Wieder alleine für sich. Sie stand da wie ein Ausrufezeichen. Richtig vorwurfsvoll. Ben fand das doof.

Blöde Kuh, dachte er. Wir wollen ja. Die will nicht! Er holte aus und warf. Der Ball traf Anna mitten auf die Stirn. Es klatschte. Anna schrie kurz auf. Gleich wird sie heulen, dachte Ben und wartete darauf.

Alle andern waren stehn geblieben, hatten ihre Spiele unterbrochen und schauten auf Anna. Sie blieb still, rieb sich die Stirn, drehte sich sehr, sehr langsam zur Mauer. Das war gemein, sagte Regine.

Ben hatte plötzlich einen Riesenzorn auf sich selber. Sowas Doofes, sagte er und meinte sich. Es hörte sich aber so an, als meinte er Anna.

Es ist wahr, er hat Anna treffen wollen. Er hat ihr sogar wehtun wollen.

Das geschieht ihr recht. Bernhard klatschte Beifall wie

im Theater oder im Zirkus. Ben sagte: Hättest du doch geschmissen, du Arsch.

Jetzt bist du auf einmal feige, was? Bernhard rannte mit den andern fort. Die Pause war zu Ende.

Ben schlenderte hinterher, ging aber nicht ins Klassenzimmer. Er wollte doch auf Anna warten. Sie kam nicht. Er lief zurück auf den Hof. Sie stand noch immer unterm Kastanienbaum. Er wollte rufen: Anna! Aber das wäre zu viel gewesen. Sie könnte denken, er wollte sich an sie ranmachen.

Es tat ihm Leid, dass er geworfen hatte. Sonst nichts.

Anna, sagte er dann doch so laut, dass sie es hören musste. Sie blieb mit dem Rücken zu ihm stehen, rührte sich nicht. Wenn die nicht will, dachte er sich. Selber schuld.

Da guckte sie zu ihm hin. Auf ihren Backen waren Streifen von Dreck. Sie hatte sich mit den Händen die Tränen weggewischt. Ihre Augen wirkten noch trauriger als sonst. Mannomann, solche Augen! Sie ging die paar Schritte auf ihn zu. Die Hände hielt sie vor dem Bauch gefaltet, als wollte sie gleich losbeten.

Ben sagte: Tschuldigung.

Anna sagte: So schlimm war's nicht.

Aber du hast geheult.

Weil ihr alle mich nicht mögt.

Ich mag dich aber, sagte er. Das hatte er gar nicht sagen wollen. Ui!, schrie er.

Was ist denn los?, fragte sie.

Nichts. Scheiße.

Sie sagte: Du hast gesagt –.

Doch Ben hielt sich die Ohren zu und heulte wie eine Sirene. Er sah, dass Anna redete. Er konnte sie nicht hören. Darüber war er froh. Er war völlig durcheinander und rannte vor ihr her.

Sie kamen zu spät aus der Pause. Herr Seibmann machte keinen Zirkus wie sonst, sondern sah Ben und Anna nur prüfend an.

Also, nun können wir ja mit dem Übungsdiktat anfangen.

Bernhard stöhnte.

Will einer was dazu sagen?, fragte Herr Seibmann.

Die ganze Klasse schüttelte wie ein Mann die Köpfe.

Das Diktat verhau ich, dachte Ben. Ganz bestimmt.

Die Stimme von Herrn Seibmann war plötzlich ganz nah: Benjamin Körbel, schläfst du oder wachst du?

Ben versuchte aufzupassen.

## Warum Bernhard mit dem Hintern heult

Am andern Tag verstand Ben die Welt nicht mehr. Er hatte sich auf die Schule gefreut. Eigentlich freute er sich auf die Schule, in die auch Anna ging. Er war ein paar Minuten früher als sonst aufgestanden. Von da an klappte nichts. Alles ging schief.

Mutter hatte den Tee noch nicht aufgebrüht, war überhaupt muffig. Holger motzte. Vater konnte ihn nicht wie sonst mit dem Auto zur Schule mitnehmen. Er musste auf eine Dienstreise. Deswegen hatte es Vater auch eilig, stand am Küchenschrank, trank im Stehen Kaffee und riss sich dauernd am Hemdkragen. Wahrscheinlich hatte er ein zu enges Hemd erwischt oder die Wut machte seinen Hals dick. Vater musste als Ingenieur öfter auf Baustellen. Ben kannte drei Brücken, an denen Vater mitgebaut hatte. Er fand Vaters Beruf gut. Doch jetzt fand er Vater überhaupt nicht gut. Er brachte mit seiner Eile alles durcheinander.

Trink nicht so hastig, sagte Mutter, du verbrennst dir noch den Mund. Zu wem sie das sagte, war nicht klar. Bens Tee war auf jeden Fall nur lauwarm.

Ben schnappte sich den Ranzen. Er wollte möglichst unauffällig verschwinden. Da spürte er, dass sich an seinen Jeans was verändert hatte. Er griff an den Gürtel.

Der Reißverschluss war gekracht. Er schrie ungeheuer. Vater setzte erschrocken die Tasse ab. Alle starrten Ben verdattert an. Um Himmels willen, fehlt dir was?, fragte Mutter.

Da, guck doch mal. Er zeigte auf seinen offenen Hosenlatz. Da! Da!

Den hat's erwischt, sagte Holger.

Mutter kniff die Augen zusammen und sagte dann: Zieh die andern Jeans an, Ben. Aber schnell.

Vater fing an zu lachen. Ich komm mir vor wie in einem Tollhaus.

Ben war schon am Schrank, riss die andern Jeans heraus, die er nicht mochte. Sie waren zu weit.

Er rannte durch die Küche, ohne sich zu verabschieden. Die sollten ihn alle am Buckel küssen. Der Morgen war versaut. Er kam nicht zu spät. Aber alle andern warteten schon vor dem Klassenzimmer. Wo war Anna? Er konnte sie nicht gleich entdecken. Jens hielt ihn fest.

Lass mich los.

Warum?

Darum!

Er wollte sich losreißen, doch Jens umklammerte ihn und lachte dabei. Das ist doch Spaß!

Für ihn war es kein Spaß. Keiner ließ ihn in Ruhe. Alle waren aus unerfindlichen Gründen gegen ihn, wollten ihn reizen, wollten ihn hänseln.

Mit der Faust schlug er Jens in den Bauch. Jens wimmerte. So weh konnte es gar nicht getan haben. Aber dieser Blödmann machte eine große Schau. Gleich würde der Seibmann kommen und es würde wieder Ärger geben.

Hör doch auf, das war doch nicht so schlimm.

Du dummer Sack, schrie Jens.

Selber, schrie Ben.

Mitten im Brüllen sah er Anna. Sie stand blass und eingeschüchtert zwischen Bernhard und Gesine. Sie sah ihn so an, als hätte er ihr was getan. Er stieß Jens noch ein bisschen von sich weg und stand nun ganz allein. In dem Augenblick erschien Herr Seibmann. Er achtete nicht auf die Unruhe, schloss die Tür auf und wartete, bis alle Schüler an ihren Tischen waren. Ben setzte sich hin und war wie betäubt. Mann, warum ging heute nur alles schief. Er beschloss, sich von nichts und niemanden mehr ablenken zu lassen und aufzupassen.

Das ging nicht. In ihm krabbelte es wie in einem Ameisenhaufen. Am liebsten wollte er aus der Schule rennen, über den Hof, die Straßen hinunter bis zu den Feldern. Rennen, rennen, bis dieses schlimme Gefühl weg war.

Herr Seibmann redete ruhig und ohne Unterbrechung. Er erzählte, wie Dörfer früher entstanden sind.

Ben?

Ja? Jetzt hat ihn Seibmann doch erwischt.

Was haben die Leute gemacht, ehe sie Dörfer bauten und Bauern oder Handwerker wurden?

In seinem Kopf war nichts. Er musste gar nicht erst nachdenken. Er hatte das Gefühl, dass er gleich schweben würde. Das wäre gar nicht schlecht. Durch die Klasse fliegen, Seibmann ein paar Mal umkreisen und dann zum Fenster hinaus. Das käme in der Zeitung: Fliegender Schüler – die Sensation!

Er hörte Regine zischen: Sammler.

Ben sagte: Sammler.

Seibmann runzelte kunstvoll die Stirn und drehte sich zu Regine. Da du es ja weißt, was noch?

Jäger.

So ist es. Sammler und Jäger. Kannst du dir das endlich merken, Benjamin?

Ben nickte. Gestern hat er es noch gewusst. Heute war alles weg.

Bernhard schubste ihn und flüsterte: Ich finde die Anna doch gut.

Jetzt kribbelte es nicht mehr. Er fühlte lauter kleine böse Stiche. Er hätte um sich schlagen können.

Ich nicht, sagte Ben. Das hat er nicht sagen wollen. Aber wenn der Bernhard so schnell seine Meinung ändert!

Ganz leise fügte er hinzu: Hosenscheißer.

Bernhard ließ nicht locker: Ich geh jetzt mit der Anna, sagte er.

Geh doch, sagte Ben.

In der großen Pause spielte er nicht mit.

Er sah zu, wie Bernhard, Jens und Regine miteinander tuschelten und immer wieder lachten. Bernhard schenkte Anna ein Brötchen. Die freute sich auch noch.

Vielleicht krieg ich Fieber, dachte Ben, und kann nach Hause gehn.

Er kehrte als Erster zurück ins Klassenzimmer. Bernhard schnitt sofort auf. Das war zu erwarten.

Du, die Anna ist aus einer Stadt, die heißt Katzenwitz.

Die gibt's nicht.

Doch. Du hast ja gar nicht mit ihr geredet.

Trotzdem.

Also ich bin auch noch da, sagte Seibmann. So begann er oft die Stunde.

Irgendwas muss ich mit dem Bernhard machen, dachte Ben. Der muss was abkriegen, sonst platz ich. Wirklich!

Er holte aus seinem Ranzen einen Sticker, einen Aufkleber, den er von Holger geschenkt bekommen hatte. Ein Mondgesicht, aber kein grinsendes, sondern ein greinendes. Unterm Tisch zog er das Bildchen von der Folie. Nun musste er bloß noch abwarten. Wenn Bernhard aufstand, legte er den Sticker umgekehrt auf den

Stuhl und Bernhard hatte einen heulenden Mond am Hintern.

Ben musste eine Menge Geduld aufbringen. Endlich musste Bernhard zur Tafel. Wenn er zurückkam, durfte er nichts auf dem Stuhl sehen. Also konnte Ben den Aufkleber erst hinlegen, wenn sich Bernhard setzte. Richtig unterschieben. Das tat er dann auch. Da Bernhard Tafeldienst hatte, musste er sicher noch mal nach vorn. Hoffentlich bald!

Ben dachte: So viel auf einmal an einem Vormittag.

Tatsächlich musste Bernhard die Tafel putzen, ehe die Stunde zu Ende war. Der Mond saß fabelhaft. Richtig in der Mitte. Bei jedem Schritt von Bernhard verzog er das Gesicht. Ben wünschte sich, dass der Gang zur Tafel doppelt so lang wäre. Aber es reichte. Das Gesicht machte tolle Fratzen. Alle hatten es bemerkt. Die ersten begannen zu prusten. Bernhard begriff nicht, was los war. Er guckte sich um. Seibmann konnte den Mond an Bernhards Hintern noch nicht sehen.

Was ist denn jetzt schon wieder los?, fragte Seibmann.

Keiner sagte was. Alle zischelten, kicherten, hielten sich die Hände vor den Mund. Ben sah zu Anna rüber. Sie hatte die Backen aufgeblasen, die Faust vor den Mund gepresst und freute sich.

Ben spürte, wie die Ameisen in ihm aufhörten zu kribbeln. Er war froh.

Bernhard hatte noch immer nicht spitz gekriegt, was los war. Er machte einen großen Schritt und das Mondgesicht heulte schrecklich.

Regine prustete nicht mehr. Sie lachte spitz und hoch.

Es reicht, sagte Herr Seibmann.

Bernhard war nun völlig durcheinander und drehte sich um sich selbst.

Bernhard tanzt, rief Jens.

Ruhe!, schrie Seibmann. Endlich sah er den Grund des Aufruhrs. Er lachte nun auch. Das ist schon komisch!, sagte er. Bernhard sah Seibmann fragend an und war den Tränen nah.

Dein Po schneidet Gesichter, sagte Herr Seibmann. Komm mal her! Er riss den Sticker ab und klatschte ihn an die Tafel. Das war's, sagte er und fragte plötzlich sehr scharf: Wer war das?

Ben zuckte zusammen.

Aber Seibmann stand schon neben ihm.

Du, Ben?

Ben stand auf und antwortete leise: Ja.

Warum?

Ben schwieg.

Bloß so?, fragte Seibmann.

Bloß so, flüsterte Ben.

Dann kannst du auch bloß so deine Mathe-Aufgaben nach dem Unterricht hier machen. Klar?

Also ging doch alles schief. Selbst nachdem er Bernhard eins ausgewischt hatte. Jetzt konnte er nicht mit Anna reden. Aber vielleicht würde sie, bevor sie rausging, zu ihm kommen, ihm was sagen.

Das tat sie nicht.

Sie lief, zusammen mit Regine, kichernd aus der Klasse. Und sah nicht mal zu ihm hin. Seibmann setzte sich neben Ben, überraschte ihn mit seiner Freundlichkeit und sagte: Jetzt wollen wir mal miteinander rechnen. Du bist schon eine Type, Ben.

## Holger petzt

Vater kam ziemlich kaputt nach Hause. Er wollte erst gar nicht reden. Mutter stellte ihm wortlos das Essen hin, den Tee. Er trank in einem Zuge die Tasse aus. Am schlimmsten war die Rückfahrt, sagte er nach einer Zeit, bei diesem Regen! Ben hatte gar nicht bemerkt, dass es am Abend zu regnen begonnen hatte. Er hatte auf seinem Bett gelegen, rumgedacht und mit der Meersau Trudi geredet. Holger und Mutter hatten ihn nicht gestört. Sicher hatten sie angenommen, er mache Aufgaben.

Vater ging ins Wohnzimmer und stellte den Fernsehapparat an. Dabei sah er gar nicht hin, sondern schlug die Zeitung auf. Wie war's?, fragte er.

Bei wem?, fragte Mutter zurück.

Na, bei dir und bei den Jungen.

Viel Grippe, sagte Mutter, die Praxis war voll.

Bei dem Schweinewetter. Vater fühlte sich bestätigt.

Und bei euch?

Nix Besonderes, antwortete Ben.

Nun war Holger dran. Ben sah ihm an, dass er was auf der Pfanne hatte. Holger holte tief Luft. Er spielte sich scheußlich auf. Ben hat eine Freundin. Das hat er mir selber erzählt.

Vater legte die Zeitung weg.

Ach was.

Gute Nacht, murmelte Ben.

Wart mal einen Augenblick. Vater sprach ohne Spott.

Kennen wir sie?

Nein.

Ist es Katja? Mutter war immer furchtbar neugierig.

Nein, die ist es nicht.

Holger wollte schon wieder dazwischenquatschen. Ben brüllte: Halt doch endlich die Schnauze!

Kinder! Vater und Mutter mahnten zweistimmig. Darin waren sie geübt.

Sie heißt Anna und ist neu in der Klasse. Das ist auch schon alles.

Ben drückte sich an Holger vorbei, der fies grinste, und verriegelte die Badezimmertür hinter sich. Er konnte hören, wie Holger erklärte, Anna sei aus Polen.

Die Eltern staunten. Aus Polen? Wie kann denn das sein? Sie wird zu diesen Umsiedlerfamilien gehören, sagte Vater. Ben gefiel es nicht, wie Vater »diese Familien« betonte. Mit denen rede ich nicht über Anna, schwor er sich, mit Holger auf jeden Fall nie mehr.

Doch am nächsten Morgen kam Mutter doch noch dazu, mit ihm über Anna zu sprechen.

Wir wollen dir das gar nicht ausreden, das mit Anna.

Das könnt ihr auch nicht.

Ich fand es auch nicht nett von Holger.

Ist ja egal, sagte Ben.

Gefällt sie dir?

Sie ist ganz nett.

Ist sie wirklich aus Polen?

Ja. Aus einer Stadt, die heißt so ähnlich wie Katzen-witz.

Du meinst wohl Kattowitz.

Ja, so.

Mutter streichelte ihm über den Kopf. Er fand es nicht richtig von ihr, es jetzt zu tun.

Bring sie doch mal mit.

Weiß ich nicht.

Nun hatte Mutter auch keine Lust mehr, das Gespräch fortzusetzen.

Du bist nicht gerade gesprächig.

Nee.

Als er schon die Tür hinter sich zuziehen wollte, rief Mutter: Übrigens, zu Pfingsten kommt Onkel Gerhard für drei Tage. Prima! Auf Onkel Gerhard freute er sich. Der war eine echte Abwechslung. Vater stöhnte zwar immer, Onkel Gerhard sei eine wahre Nervensäge. Aber schließlich war er Vaters älterer Bruder. Und ganz schön verrückt.

Wenn Anna wollte, könnte er ihr von Onkel Gerhard erzählen.

## Wo Anna wohnt

Werken fiel aus. So hatten sie zwei Stunden früher frei. Ben rannte aus der Schule. Er wollte draußen auf Anna warten. Er versteckte sich im Eingang zur Bäckerei. Anna kam nicht. Sie trödelte mal wieder. Dafür entdeckte ihn Jens, der sich in der Bäckerei Brauseherzen und Gummibärchen kaufen wollte. Er war das größte Schleckermaul der Klasse.

Hau ab, sagte Ben.

Warum denn?, fragte Jens.

Willst du kämpfen?, fragte Ben zurück.

Du hast ja einen Knacks, sagte Jens und verzog sich in den Laden.

Wenn Anna jetzt kam, konnte Jens sehen, dass er auf sie gewartet hatte.

Anna tauchte tatsächlich auf. Sie ging allein auf der andern Straßenseite und konnte Ben nicht sehen. Das war gut. Nur musste Jens noch aus dem Laden. Vorher konnte Ben Anna nicht nachlaufen. Die alte Bäckerin brauchte ewig die Brauseherzen in die Tüte zu zählen.

Endlich klingelte die Ladentür und Jens stand hinter ihm. Los, hau ab. Ben gab Jens einen Stoß, dass er beinahe die drei Stufen hinuntergeflogen wäre.

Jens verzog sich.

Ben sah ihm nach. Er fing an zu zählen. Bei zwanzig musste er auf jeden Fall losrennen, sonst würde er Anna nicht mehr einholen. Er wusste nicht, wo sie wohnte und welchen Weg sie ging.

Zwanzig! Er spurtete und sah Anna eben noch um die Ecke biegen.

Als er sie fast erreicht hatte, blieb er stehn. Er kriegte kaum Atem. Außerdem hatte er plötzlich Angst, Anna könnte ihn für blöd halten und wegschicken. Sie könnte ihn sogar auslachen. Manchmal war sie ganz schön schnippisch.

Er ging ihr langsam nach und hielt Abstand zu ihr.

Wenn sie sich umdrehen würde, wäre es gut.

Sie dachte gar nicht dran. Sie ging sogar ein bisschen schneller. Vielleicht hatte sie doch mitbekommen, dass er sie verfolgte.

Er gab sich einen Ruck. Los, Ben! Mit ein paar Laufschritten war er neben ihr.

Hallo Anna!

Das ist doch gar nicht dein Nachhauseweg, sagte sie. Sie tat so, als hätte sie schon die ganze Zeit gewusst, dass er ihr nachkommt.

Nein.

Willst du ein bisschen mitgehn?, fragte sie. Sie redete oft wie eine Erwachsene. Das war ihm gleich am ersten Tag aufgefallen.

Ja. Wo wohnst du denn?

Am Kleiberweg.

Aber –. Ben sprach nicht weiter. Anna brachte den Satz, den er nicht aussprechen wollte, zu Ende: Da sind die Barackenwohnungen. Da wohnen wir. Nicht mehr lang. Papa hat schon einen Antrag gestellt. Und er verdient bald wieder.

Hat er nicht immer verdient?

In Polen schon nicht mehr, weil wir nach Deutschland wollten. Und hier nicht, weil wir aus Polen gekommen sind. Ich weiß nicht.

Das ist aber doof von den Leuten.

Von welchen Leuten?

Die deinem Vater keine Arbeit gegeben haben.

Papa sagt immer: Mit uns Kleinen kann man es ja machen.

Darauf konnte Ben keine Antwort geben. Er musste mal mit Vater reden, der so was wie Annas Vater nie sagte. Aber bei dem war es ja auch anders.

War es schön in Kattowitz? Ben sprach den Namen der Stadt vorsichtig aus: Ka-t-to-witz. Er wusste ja nicht, ob er ihn richtig verstanden hatte. Und Mutter hatte von Städten in Polen bestimmt keine richtige Ahnung.

Anna fragte: In Katowice?

Da war also noch ein e dran, dachte Ben.

In Katowice war es schön, erzählte Anna. Wir hatten

es gar nicht so weit in die Berge und bei den Gruben konnten wir spielen.

Gruben?

Na ja, Kohlengruben. Wo man tief aus der Erde Kohle herausholt. Kennst du das nicht?

Doch, ich weiß schon.

Also. Da war mein Papa Grubenschlosser. Jeden Tag ist er hinuntergefahren.

Er fand das toll und er fragte sich, wie tief man Löcher in die Erde bohren kann.

Anna erzählte von ihren Freundinnen in Katowice, Sonja und Maria. Dabei kriegte sie rote Backen. Ben sah sie von der Seite an. Er fand sie schön und ganz anders als die anderen Mädchen, die er kannte.

Kommst du mit rein?, fragte sie ihn, als sie vor der Baracke standen. Die sah schrecklich alt aus.

Er schüttelte den Kopf.

Aber ich will dich vorstellen. Sie sagte es wieder wie eine Große. Sie nahm ihn bei der Hand. Es war das erste Mal. Ihre Hand war heiß und klebrig. Dann zog sie ihn hinter sich her. Gleich hinter der Tür war die Küche. Oder das Wohnzimmer. Und darinnen hielten sich eine Menge Menschen auf. Auf den ersten Blick sah Ben zwei Männer, eine Frau, drei Kinder. Dann entdeckte er in einem Bollerwagen noch ein winziges Baby. Es war sehr warm in der Stube und roch nach Essen.

Wer ist das?, fragte die Frau. Sie war sicher Annas Mutter. Auch sie sah ein bisschen fremd aus.

Mein Freund. Er heißt Ben.

Sie hatte gesagt: Mein Freund.

Ben ging auf die Frau zu und gab ihr die Hand.

Dann begrüßte er die beiden Männer und einer, der riesengroß war und beinahe gelbe, kurzgeschnittene Haare hatte, sagte: Ich bin Annas Papa. Der andere war ein Freund von Annas Papa, auch ein Mann aus Polen. Die Kinder musterten ihn neugierig. Sie zogen sich in eine Ecke der kleinen Stube zurück und wisperten miteinander.

Willst du mit uns essen?

Vielen Dank, aber meine Mutter weiß gar nicht, wo ich bin. Ich muss nach Hause.

Schade, sagte Annas Mutter. Ihre Stimme fand er besonders schön.

Anna brachte ihn raus.

Draußen fragte er: Wo schläfst du?

Wir haben noch ein Zimmer, sagte sie. Da schlafen wir Kinder, nur Vater und Mutter schlafen in der Küche.

Wieviel Geschwister hast du?, fragte er.

Sechs, sagte sie. Vier hast du gesehen und die beiden Großen sind auf einer Heimschule, damit sie Deutsch lernen.

Hast du auch so Deutsch gelernt?

Ich hab es für mich gelernt, von Mama und Papa, erklärte Anna. Sie musste darauf sehr stolz sein. Ben fand, dass sie da auch Recht hatte.

Er rannte den ganzen Heimweg.

Tausend Gedanken gingen durch seinen Kopf. Dass Anna ihn einen Freund genannt hatte. Dass man so gelbe Haare haben konnte wie Annas Vater. Dass es Katowice heißt. Dass die Anna so gescheit ist. Dass die zu siebt in einem Zimmer schlafen müssen. Dass es immer auf die kleinen Leute geht. Dass er Vater unbedingt fragen musste, warum Annas Vater erst keine Arbeit gekriegt hat.

Mutter war schon da. Sie arbeitete im Garten vorm Haus.

Warum kommst du so spät?, fragte sie.

Ich hab Anna nach Hause gebracht, sagte er. Mutter nickte und fragte nicht weiter.

Das enttäuschte ihn.

## Ben schreibt an Anna

Sie probten das Fußballspiel fürs Schulfest. Die 4b gegen die 4c. Ben war kein besonders guter Fußballspieler. Es war ihm auch nicht so wichtig. Es machte ihm wenig aus, wenn Jens, der beste Stürmer, ihn anbrüllte: Du kannst überhaupt nicht flanken, du Flasche! Aber heute bei der Probe schauten die Mädchen zu. Anna schaute zu! Ben gab sich Mühe. Er rannte mehr als sonst, holte sich den Ball häufiger als sonst. Aber wenn er mal am Ball war, stimmte nichts mehr. Er stolperte, flog beinahe über den Ball, traf ihn nur halb, schoss ihn vor die Füße des Gegenspielers. Schlimm! Es musste doch mal was gelingen. Als seine Mannschaft eine Ecke bekam, bestand Ben darauf, sie zu schießen. Jens schlug die Hände über dem Kopf zusammen und Bernhard hielt ihn zurück. Lass ihn doch!

Nein, ich will, sagte Ben.

Er nahm Anlauf, wie er es auch im Fernsehen gesehen hatte, und traf den Ball so, dass er nicht ins Feld flog, sondern kläglich an der Linie entlang hinters Tor rollte. Jens konnte sich gar nicht beruhigen. Er schmiss sich auf den Boden, zappelte mit den Beinen und kreischte. Selbst Herr Seibmann warf Ben einen vorwurfsvollen Blick zu. Das Schlimmste aber war: Anna lachte. Sie lachte noch lauter als Regine, bei der es ihn nicht aufregte. Anna lachte ihn aus.

Herr Seibmann sagte: Mach du mal den Linienrichter. Jürgen soll für dich spielen.

Jetzt machten sie ihn wieder fertig. Auch als Linienrichter passte er nicht auf und Herr Seibmann musste ihn mehrfach mahnen: Mach doch deine Augen auf, Ben.

Er hatte sie auf und sah trotzdem nichts. Wenn er könnte, würde er sich in die Erde eingraben. Hätte er sich nur nicht vorgedrängt, um die Ecke zu schießen. Nun war es zu spät. Nach dem Spiel ging er Anna aus dem Weg. Sie war eine genauso blöde Gans wie Regine und Katja.

Er erzählte alles der Meersau Trudi. Die pfiff nicht ein einziges Mal, sondern hörte ihm ruhig zu.

Darauf beschloss er, Anna einen Brief zu schreiben. Er suchte nach dem Briefpapier, das er zum Geburtstag geschenkt bekommen hatte. Er fand es nicht. Also riss er eine Seite aus dem Reli-Heft. In den Füller steckte er extra eine neue Patrone.

Er schrieb:

*Liebe Anna!*
*Du warst heute gemein, wo du gelacht hast. Ich kann eben nicht so gut Fußball spielen wie der Jens. Dafür*

*kann der noch immer nicht schwimmen, was ich aber toll kann. Dann hättest du auch gelacht, wenn der Jens ersoffen wäre. Das hat mir nicht gefallen, dass du gelacht hast. Ich bitte dich, das nicht mehr zu tun. Denn sonst gefällst du mir. Nun frage ich dich: Willst du mit mir gehen?*

*Dein Ben.*

Holger fragte die Mädchen auch immer, ob sie mit ihm gehen wollten. Es war also richtig, dass er Anna fragte.

Den Brief schob er während der Pause in Annas Ranzen. Da würde sie ihn schon finden.

## Bernhard ersetzt Anna

Alle freuten sich auf die Pfingstferien. Herr Seibmann sagte: Ich bin froh, euch ein paar Tage nicht sehen und hören zu müssen. Bernhard sagte: Danke gleichfalls! Das ging Herrn Seibmann zu weit. Er verdonnerte Bernhard, zwanzig Sätze über das, was einen Lehrer freut, zu schreiben. Da weiß ich eine Masse, flüsterte Bernhard.

Alle freuten sich auf die Ferien. Ben nicht. Anna hatte ihm auf seinen Brief nicht geantwortet. Sie hatte nichts gesagt und nichts geschrieben. Ben konnte das nicht begreifen. Hat ihr sein Brief nicht gefallen? Sie hätte es ihm ja sagen können. Aber so? Er spürte wieder das Spannen in der Brust, im Bauch. Weil er davon genug hatte und nicht dauernd an Anna denken wollte, frischte er seine Freundschaft mit Bernhard wieder auf.

Kommst du heute Nachmittag zu mir? Bernhard war schon etwas erstaunt. Er ließ es sich aber nicht anmerken und sagte nur: Wenn du willst.

Sie saßen erst am Gartentisch und ordneten die kleinen Modellautos, die Ben sammelte. Holger hatte ihm seine geschenkt und Vater brachte manchmal eines mit. Er trug jedes einzelne Stück in einer Liste ein und Bernhard klebte an die Autos einen winzigen farbigen Nummernzettel. Er hielt die Arbeit allerdings für unnötig. Es ginge doch immer wieder einmal ein Auto kaputt oder verloren.

Dann weiß ich es aber.

Das ist ja noch blöder, meinte Bernhard. Da ärgert man sich noch mehr.

Sie unterhielten sich über die Mädchen in der Klasse. Bernhard schwärmte für Katja. Ben hatte keine Lust, über Anna zu reden. Bernhard umso mehr.

Die Anna, sagte Bernhard, ist nicht mehr so doof. Die macht jetzt bei jedem Spiel mit. Sie quietscht auch nicht so wie die andern.

Ich weiß nicht, sagte Ben. Ein Mädchen ist sie doch.

Aber kein Mädchenmädchen.

Du spinnst ja.

Es ist aber so.

Sie hätten bestimmt gestritten, wenn Bens Mutter sie nicht gebeten hätte, mit dem Gartenschlauch die Sträucher zu sprengen.

Wird gemacht, Frau Körbel.

Bernhard spielte den Eifrigen.

Er hatte nur Quatsch im Sinn. Bens Mutter lachte und sagte: Du redest wie ein Filmkind.

Hast du gehört, sagte Bernhard, deine Mutter meint, ich soll zum Fernsehen.

Ben achtete nicht auf Bernhard und zog den Schlauch hinter sich her.

Weil Bernhard unbedingt darauf bestand, ließ er ihn sprengen. Bernhard steckte den Schlauch zwischen die Beine und es sah aus, als ob er pinkelte.

Guck mal, Ben, rief er.

Ben guckte nicht.

Du bist ein blöder Spielverderber.

Bin ich eben.

Bernhard wedelte wild mit dem Hintern. Jetzt!, rief er, jetzt bin ich ein Elefant.

Lass doch, sagte Ben.

Aber Bernhard hatte bereits eine neue Idee. Vorm Nachbarhaus stand noch die leere Mülltonne auf dem Gehweg. Dort wohnten Leibels, die beide erst abends nach Hause kamen.

Bernhard kletterte über den Zaun, zerrte den Schlauch hinter sich her. Komm, Ben! Wir füllen das Ding mit Wasser. Und wenn die dann einer wegtragen will …

Bernhard lachte sich schon im Voraus kaputt. Und auch Ben fand die Idee komisch.

Bernhard ließ Wasser in die riesige Tonne. Ben passte auf, dass sie niemand erwischte. Vor allem, dass sie nicht von Leibels überrascht wurden.

Mann, geht da viel rein. Bernhard stöhnte vor Vergnügen. Das Wasser floss schon lange und die Tonne war erst zur Hälfte voll. Genügt das nicht?, fragte Ben.

Nee. Bernhard war entschlossen, das Werk zu vollenden. So viel wie in eine Badewanne.

Beinahe.

Eher mehr!

So viel wie in anderthalb Badewannen.

Sie überboten sich gegenseitig. Ben fand, dass sich die aufgefrischte Freundschaft mit Bernhard lohnte.

Schließlich war die Tonne bis zum Rand gefüllt. Deckel zu, befahl Bernhard.

Komm, wir versuchen sie mal zu heben, sagte Ben.

Das schaffen wir nie. Bernhard hatte Recht. Sie zerrten an den Griffen. Die Tonne war so schwer wie ein Felsen.

Sie verschwanden eilig hinterm Zaun. Ben rollte den Schlauch auf. Die übrigen Sträucher kannst du ja morgen sprengen, fand Bernhard.

Dann warteten sie auf Leibels.

Lange mussten sie sich nicht gedulden. Herr Leibel fuhr vor.

Er war ein »hohes Tier« bei der Bundesbahn, wie Vater sagte. Wie ein »hohes Tier« sah er aber nicht aus. Eher wie ein trauriger Mops. Er war klein, dick, trug immer zerknitterte graue Anzüge und schleppte stets eine mächtige, schwarze Aktentasche mit sich.

Zum Geburtstag bekam Ben jedes Mal ein Geschenk von Leibels. Entweder einen Kugelschreiber oder einen Kalender, auf denen *Deutsche Bundesbahn* stand. Das letzte Mal hatte ihm Herr Leibel einen *Bundesbahn-* Aschenbecher geschenkt. Wie einfühlsam, hatte Vater gesagt, da du doch so ein starker Raucher bist.

Herr Leibel trat vor die Garage und ging mit kurzen, energischen Schritten auf die Tonne zu. Sie reichte ihm fast bis zur Brust. Er packte zu. Sie hörten es knirschen. Herr Leibel ging in die Knie und brüllte: Aua! Aua! Ebenso rasch sprang er wieder auf, hob den Deckel, starrte hinein, schlug den Deckel zu und trat mit seinen schönen schwarzen Schuhen gegen die Tonne. Dann machte er auf dem Absatz kehrt. Mit kurzen Schritten marschierte er los und auf sie zu. Der kann uns nicht sehen, flüsterte Bernhard, bestimmt nicht.

Herr Leibel stieß hart mit dem Finger in den Klingelknopf. Am liebsten hätte er wohl ein Loch durch die Mauer gebohrt.

Ich komme ja schon! Ich komme ja schon!, rief Bens Mutter aus dem Haus. Sie riss die Tür auf und staunte: Sie sind's, Herr Leibel. Der konnte vor Wut nicht reden. Dreimal hintereinander machte er: Hum! Hum! Hum!

Mutter merkte, dass es brannte, sagte aber ziemlich ruhig: Kommen Sie doch bitte herein.

Die Tür schloss sich hinter den beiden.

Bernhard sagte: Ich bin schon weg. Ben saß allein gelassen unterm Busch und konnte sich ausdenken, was Herr Leibel Mutter vorklagte.

Es dauerte lange. Sicher musste Mutter den dampfenden Mann erst mal beruhigen. Die Tür ging auf. Ben machte sich klein unter dem Strauch. Herr Leibel schritt stolz über den Kies. Er hatte gesiegt. Über Ben würde ein Donnerwetter niedergehn.

Ben!, Mutter wartete keinen Augenblick.

Ja? Er antwortete so leise, dass Mutter noch einmal und noch lauter rief: Ben!!

Mutter fing ihn im Flur ab. Was hast du angestellt?

Ich, ich –.

Wie konntest du das nur tun?

Ich, ich –.

Du weißt doch, dass wir mit Leibels Schwierigkeiten haben, dass die so schrecklich pingelig sind.

Ja, ich –.

Hör endlich auf mit deinem dämlichen Ich – ich.

Aber ich –.

Herr Leibel hat sich wehgetan. Er muss womöglich ins Krankenhaus.

Aber wir, wir –.

Warum sagst du plötzlich: Wir, wir?

Der Bernhard und ich, wir haben doch nur –.

Ihr habt euch einen bösen Streich ausgedacht.

Aber wir wollten –.

Das wolltet ihr nicht. Ich weiß. Hoffentlich kommt da nichts nach, sagte Mutter schon friedlicher.

Ich hab das nicht gewusst, Grete –.

Was?

Dass der Leibel krank ist.

Mutter gab ihm einen Schubs. Geh auf dein Zimmer. Dort bleibst du bis zum Abendessen. Das nächste Mal bringst du anstatt dem Bernhard lieber die Anna mit. Die kommt nicht auf solchen Blödsinn.

Jetzt fing selbst Mutter mit Anna an. Er hatte Bernhard doch eingeladen, um Anna zu vergessen.

## Anna antwortet

Am Tag vor den Ferien schob Anna ihm einen Zettel auf den Tisch. Sie tat es ganz offen. Die Klasse grinste. Ben legte seine Hand flach auf das Papier und zog es langsam weg.

Du musst gleich lesen!, rief Anna.

Herr Seibmann betrat das Klassenzimmer. Ben schob den Zettel schnell in die Hosentasche.

Trotzdem!, sagte Anna sehr laut und trotzig.

Was heißt hier trotzdem?, fragte Herr Seibmann.

Die Anna hat dem Ben einen Brief geschrieben, schrien alle durcheinander.

Ja? Na und? Herr Seibmann tat so, als bekäme Ben jeden Tag einen Brief von Anna.

Anna stand auf. Sie achtete überhaupt nicht auf den Lärm. Er hat ihn in die Tasche gesteckt und nicht gelesen.

Jetzt verstand Herr Seibmann. Ach, deshalb dein Trotzdem. Also Ben, lies den Brief mal. Und dann ist Ruhe.

Ben zog den Zettel aus der Tasche, faltete ihn auseinander. Er schämte sich. Warum hat Anna ihm den Brief nicht in der Pause gegeben? Erst lässt sie ihn warten, nun macht sie ihn zum Deppen.

Vorlesen! Vorlesen! brüllten alle.

Ruhe! brüllte Herr Seibmann zurück. Ihr wisst wohl nicht, dass es ein Briefgeheimnis gibt. Wir fangen mal an. Holt das Lesebuch aus der Tasche. Wenn ihr schon lesen wollt.

Ben las. Es war kein langer Brief.

*Lieber Ben,*
*ich habe deinen Brief bekommen. Ich finde ihn schön. Was du sagst, finde ich auch schön. Gehst du weg, wenn die Ferien sind? Oder können wir was miteinander machen?*
*Deine Anna.*

Ben fühlte, dass Anna ihn beim Lesen ständig anguckte.

Fertig?, fragte Herr Seibmann.

Ja, antwortete Ben leise. Dann kannst du jetzt ja mitmachen und der Anna nach der zweiten Stunde sagen, was du von ihrem Brief hältst. Klar?

Ben nickte.

Sein Kopf feuerte. Bernhard tuschelte. Ben verstand ihn nicht, wollte auch nicht verstehen. Aufpassen konnte er auch nicht richtig. Herr Seibmann nahm ihn nicht dran. Ben fand das ungeheuer nett von ihm.

Ben überlegte, ob er mit Anna aus der Klasse in die Pause gehen sollte, oder ob es nicht besser wäre, voraus-

zurennen und auf dem Schulhof auf sie zu warten. Da konnten die andern nicht so spotten.

Anna kam ihm zuvor. Sie stellte sich ihm in den Weg und fragte, ohne auf seine Verlegenheit zu achten: Fahrt ihr also weg?

Ben brachte kein Wort heraus und er schüttelte bloß den Kopf.

Sie nahm ihn an der Hand, riss ihn hinter sich her. Prima! Morgen bist du eingeladen zu uns. Papa und Mama wollen, dass du zum Essen kommst. Das ist bei uns in Polen so, dass man sich zum Essen einlädt.

Aber wir sind nicht in Polen, sagte Ben. Endlich konnte er wieder reden.

Bin ich blöd?, Anna kicherte.

Da muss ich zu Hause fragen.

Tu's mal.

Dann musst du aber auch zu uns kommen, Anna.

Klar.

Wenn Onkel Gerhard zu Besuch ist, machen wir sicher einen Ausflug.

Wohin?

Weiß ich noch nicht.

Mit dem Auto?

Mit was denn sonst?

Weil ich so lange nicht mit einem Auto gefahren bin, sagte Anna.

Habt ihr denn keines?

Nein. Erst muss Papa Arbeit bekommen. Plötzlich legte sie die Arme um ihn rum, drückte ihn an sich. Alle auf dem Schulhof konnten es sehen. Dann hopste sie im Wechselschritt schnell weg und ließ ihn verdattert stehn.

Bis morgen!, rief sie.

Aber wir können nach der Schule noch miteinander reden.

Geht nicht! Mama wartet auf mich.

Hat sie dich geküsst?, fragte erst Jens und danach auch noch Bernhard.

Nein! Nein! Nein! Ben stampfte wütend mit dem Fuß auf. Warum hatte sie das getan? Irgendwie war es schön gewesen.

Er fragte Mutter, ehe sie zur Arbeit ging, ob er am nächsten Tag bei Anna essen dürfe.

Mutter wollte es ihm nicht erlauben. Die Leute haben doch kaum was, sagte sie.

Aber Annas Eltern wollen es.

Na gut, sagte Mutter, man sagt ja auch, dass die Polen gastfreundlich sind.

Es sind aber keine Polen, verbesserte Ben.

Wie du willst, antwortete Mutter.

Am Nachmittag schloss er sich in seinem Zimmer ein. Holger störte ihn nicht, er musste zum Tischtennis.

Ben saß an seinem Schreibtisch und schrieb langsam Satz für Satz:

Anna ist nicht ganz so groß wie ich.

Anna ist deutsch und kommt aus Polen.

Sie ist aber deutsch.

Ich liebe Anna.

Anna kommt aus Katowice, mit einem e hinten dran.

Anna hat schwarze Haare und einen dicken Zopf.

Anna ist anders als andere Mädchen.

Anna hat ein schönes Gesicht. Wegen den Augen.

Wahrscheinlich mag mich Anna.

Ich mag Anna sehr.

Anna hat mich beinahe geküsst.

Anna hat wirklich die schönsten Augen.

Als Ben noch mal las, was er aufgeschrieben hatte, schämte er sich. Er zerknüllte den Zettel und warf ihn in den Papierkorb.

Heute musste er keine Hausaufgaben machen. Eine Woche nicht! Er trug die Kiste mit der Meersau Trudi in den Garten. Von Trudi hatte er Anna noch nichts erzählt. Die wird ihr sicher Spaß machen.

## Ben macht sich schön

Ben wachte erst spät am Vormittag auf. Mutter hatte ihn nicht geweckt. Er soll seine Ferien richtig genießen, hatte sie am Abend vorher gesagt. Nicht einmal Holger hatte ihn mit der lauten Plattenmusik aufwecken können. Doch jetzt stand Mutter im Zimmer.

Die Sonne scheint! Das Frühstück wartet!

Mensch, Grete! Er reckte und räkelte sich und Mutter war drauf und dran, ihn aus den Federn zu kitzeln.

Ihm fiel Annas Einladung ein. Ich muss ja weg. Ich muss ja zum Mittagessen. Anna wartet sicher schon.

Mutter zog die Rolladen hoch und Ben blinzelte in die Sonne. Mann, das ist wie Sommer, sagte er.

Eben, sagte Mutter. Und du schläfst wie eine Schildkröte im Winter. Du musst dich nicht aufregen. Es ist zehn. Du hast noch zwei Stunden Zeit. Denkst du dran, dass morgen Onkel Gerhard kommt?

Aber ja.

Holger hatte schon seinen ganzen Elektronikkram ausgebreitet, damit Onkel Gerhard ihn ordnen konnte.

Hoffentlich basteln die nicht die ganze Zeit miteinander. Wenn Onkel Gerhard einmal am Tüfteln war, konnte ihn höchstens noch Mutter weglotsen.

Bring erst mal die Trudi in den Garten, sagte Mutter. Die Meersau stinkt.

Er sauste im Schlafanzug in den Garten, setzte sich ins Gras, hielt das Gesicht in die Sonne. Es wehte ein leichter lauer Wind. Mannomann, fühlte er sich wohl. Keine Schule! Ein tolles Wetter. Das Mittagessen bei Anna. Nur vor den Eltern Annas und den anderen Leuten hatte er ein bisschen Bammel. Holger riss das Fenster auf, grinste und rief: Schlafmütze!

Krawallotto!, schrie Ben zurück.

Doch Holger hatte so gute Laune wie Ben, schimpfte nicht weiter, sondern ließ eine Papierschwalbe über den Rasen fliegen.

Ben gab sich einen Ruck. Von nun an ging alles wie am Schnürchen. Er badete sich ausgiebig. Er wusch sich die Haare. Er schnitt sich die Fingernägel. Er föhnte sich die Haare. Er zog seine Lieblingsjeans an und das weite Hemd. Er nahm eine Hand voll von Vaters Rasierwasser und befeuchtete sich Stirn und Backen. Er setzte sich an den Küchentisch, nahm die Haube von der Kanne, goss sich Kaffee ein, strich sich Marmelade aufs Brot, aß in aller Ruhe.

Als Holger kam, war es mit der schönen Ruhe aus. Er blieb wie angewurzelt stehn, starrte Ben an, warf die Hände hoch, riss den Mund auf, spielte das große Staunen. Grete! Grete! Komm mal. Aber schnell. Das musst

du sehn. Das gibt's nicht noch einmal. Der kleine Bruder! Ich kann nicht mehr! Mutter ließ sich nicht zweimal bitten. Auch sie schlug die Hände zusammen und starrte ihn an, als wäre er Supermann persönlich.

Das kann nicht wahr sein, stöhnte sie. Du hast dir selber die Haare gewaschen und dich einfach so am hellen Morgen gebadet?

Lasst mich in Frieden, murmelte Ben und guckte in die Tasse.

Nein! Nein! Nein! Das war Mutter.

Mann, das duftet ja wie in einem Blumengeschäft. Das war Holger.

Ist mir auch eben aufgefallen. Das war Mutter.

Sag mal –. Sag mal –.

Jetzt quatschten Holger und Mutter im Chor.

Hast du womöglich mein Parfüm benutzt? Das war wieder Mutter. Sie zog die Luft ein, kam ihm ganz nahe. Nein, das ist Horsts Rasierwasser, stellte sie fest. Stimmt's?

Ben nickte kaum merkbar. Er war schon an die Stuhlkante gerutscht. Er hatte vor, durchzustarten und an den beiden vorbeizusausen, abzuhauen.

Holger kam überhaupt nicht mehr zu sich: Vaters Rasierwasser. Ich fass es nicht. Ich kann nicht mehr. Hast du dich denn auch rasiert?

Jaaa, brüllte Ben und war mit drei Sätzen draußen.

Haaalt! rief Mutter ihm nach. Ich habe doch einen Blumenstrauß für Annas Mutter. Warte doch.

Brauch ich nicht!

Holger wieherte: Der ist selber eine Blume!

## Kuttelflecke und Annas Überraschung

Auch Anna stellte fest: Du hast dich schön gemacht. Wegen uns hast du das nicht tun müssen. Sie selber trug Cordjeans, die sie in der Schule nie angehabt hatte.

Anna schob ihn durch die Tür. Es kam Ben vor, als hielten sich noch mehr Leute in der engen Stube auf als das letzte Mal. Er gab sich keine Mühe, sie auseinander zu halten. Herrn und Frau Mitschek kannte er ja.

Einen Augenblick war es still. Alle schauten ihn an und nickten ihm zu. Dann redeten alle wieder durcheinander, auf Polnisch und auf Deutsch. Ben fühlte sich wohl. Ihm gefiel diese laute Fröhlichkeit.

Er dachte: Die Anna ist arm. Aber sie hat es trotzdem gut, weil die so anders sind.

In der Mitte des Tisches standen zwei hohe Töpfe, aus denen es dampfte. Dazu eine Schüssel mit Kartoffeln. Herr Mitschek schöpfte jedem auf. Ihm zuerst. Willst viel?, fragte er. Als Ben zögerte, tat er nur einen kleinen Klacks auf den Teller, dazu eine halbe Kartoffel. Wenn es dir schmeckt, kriegst dazu.

Es war eine hellbraune, dicke Soße mit weißen Fleischstücken. Die Soße schmeckte etwas sauer, aber gut. Auch das Fleisch. Ben traute sich nicht zu fragen, was er aß.

Als Anna ihn unvermutet anredete, erschrak er. Er verpasste mit der Gabel den Mund und stach sich in die Nase. Das sind Kuttelflecke, weißt du.

Er nickte, kaute, die Nase schmerzte. Kutteln. Mutter sagte immer, sie könnte alles kochen und essen, bloß Kutteln nicht.

Die sind gut, sagte er.

Willst du noch, Ben?, fragte Frau Mitschek.

Er ließ sich eine zweite, größere Portion aufladen. Grete hatte doch nicht immer Recht. Nach dem Essen fragte Anna: Willst du sehn, wo ich mich immer verstecke?

Klar, sagte er.

Sie liefen über den weiten, schmutzigen Platz vor den Baracken, dann auf einem schmalen Weg zwischen Kleingärten.

Anna kannte sich aus. Ben dachte: Da rennt sie immer alleine rum. Er war irgendwie neidisch oder eifersüchtig.

Der Weg endete vor einem Bahngleis. Die Schienen rosteten und zwischen den Schwellen wuchs Gras.

Anna hüpfte vor ihm auf den Schwellen. Komm, winkte sie. Alles erschien ihm auf einmal ungeheuer weit. Er rannte Anna nach, versuchte, Schwellen zu überspringen. Das gelang ihm nicht.

Ui! Ui!, schrie er und warf die Arme hoch. Hier ist es schön, nicht wahr, sagte Anna. Gleich kommt die Überraschung. Die Überraschung stand versteckt hinter Gestrüpp, doch direkt neben dem Gleis: ein Holzhäuschen. Es war höher als breit. Wahrscheinlich hatte man früher Geräte darin aufbewahrt oder Streckenwärter hatten darin bei schlechtem Wetter Schutz gesucht.

Anna blieb davor stehen und befahl: Du musst warten, Ben. Ich muss nachsehn, ob auch alles richtig in Ordnung ist.

Ist das deins?, fragte Ben.

Ja, antwortete Anna stolz.

Gut, ich warte.

Er hörte sie im Innern des Häuschens rumpeln. Nach einiger Zeit riss sie die Tür auf und rief: Bitte eintreten, mein Herr.

Auf dem Bretterboden lag eine alte Matratze, über die zur Hälfte eine bunte Decke geworfen war. Sogar ein Stuhl und ein Regal waren vorhanden. Auf dem Regal lagen ein paar Mickymaushefte. Und in einer Reihe waren fünf verdellte Teebüchsen aufgestellt.

Aus einer fischte Anna ein Stück Schokolade. Sie setzte sich auf die Matratze. Anna benahm sich hier viel sicherer als in der Schule. Das gefiel Ben.

Er setzte sich neben sie. Sie aßen miteinander die Schokolade. Er wusste nicht, was er reden sollte. Anna fing von seinem Brief an. Stimmt das, was du mir geschrieben hast?

Was?

Dass du mich magst.

Ja, das stimmt.

Ich mag dich auch.

Er sah sie nicht an, kaute die Schokolade. Ja?, fragte er.

Ja, sagte sie, wirklich.

Ich bin müde, sagte Anna dann und rollte sich auf die Matratze. Leg dich auch hin, Ben. Sie lagen nebeneinander, eine Weile. Er mit dem Rücken zu Anna.

Dreh dich doch mal um.

Er drehte sich um und ihr Gesicht lag vor seinem. Sie atmete und er fühlte ihren Atem auf seinen Backen, seiner Stirn. Er machte die Augen zu. Sie fuhr ihm mit dem Finger übers Gesicht und plötzlich über die Lippen. Es kitzelte.

Pass auf, ich beiß dich.

Tu's doch, sagte sie.

Er öffnete die Augen nicht, er zog sie an sich und biss zu.

Aua, mein Arm, schrie sie auf.

Er lachte. Du bist warm, sagte er.

Jetzt schlafen wir aber, sagte sie.

Ich bin nicht müde.

Ich auch nicht. Anna lachte, sprang auf und hüpfte über ihn weg.

Komm, Ben, wir setzen uns raus auf die Schienen und lesen Mickymaus. Magst du?

Er mochte alles, was sie mochte.

Ein paar der Heftchen kannte er nicht. Sie saßen ganz eng nebeneinander, lachten über die Bilder. Wenn Anna lachte, spürte er ihr Lachen. Ein paar Mal legte er den Arm um ihre Schulter, nahm ihn aber wieder weg. Er kam sich ungeschickt dabei vor.

Wir müssen gehn. Anna stand auf, verstaute die Hefte im Regal, strich die Falten aus der Decke und drückte die Tür ganz fest an.

Diesmal rannten sie nicht, sondern gingen langsam auf dem Gleis.

Kommst du noch mit?

Nein, ich muss nach Hause.

Sie blieb stehen, blinzelte und sagte: Aber einen Kuss kannst du mir geben.

Er machte ungeheuer schnell. Dabei erwischte er mit den Lippen ihre Nase und erst am Schluss ihren Mund.

Puh!, sagte Anna.

Morgen kommst du zu uns, sagte er.

Wenn ich darf.

Am Nachmittag, sagte er. Tschüs. Er rannte ihr voraus, über den Barackenhof und sah sich nicht mehr um. Weil er nicht aufpasste, stolperte er und schlug flach auf die Straße hin. Seine Hände waren aufgeschürft und taten weh. Scheiße, murmelte er und ballte die Hände zu Fäusten. Das schmerzte noch mehr.

# Zwei Besucher

Holger fing Onkel Gerhard ab. Das fuchste Ben. Er hatte sich fest vorgenommen, Onkel Gerhard als Erster zu erwischen. Holger war eben mal wieder früher auf. Also beschloss Ben, noch länger liegen zu bleiben. Er hörte Vaters Stimme. Vater hatte über Pfingsten frei. Die ganze Familie war zusammen. Und dazu Onkel Gerhard! Onkel Gerhard hatte er mal in einem Aufsatz beschrieben. Aber Herr Seibmann hat ihm nicht geglaubt. So komisch kann ein einziger Mensch gar nicht sein.

Eben lachte Onkel Gerhard. Er lachte wie sonst niemand. Er zog nämlich beim Lachen die Luft ein und machte dauernd huik! huik! huik! Das hörte sich an, als brauste eine Sau durch den Garten. Huik!

In seinem Aufsatz hat Ben seinen Onkel ungefähr so beschrieben: Onkel Gerhard ist Vaters älterer Bruder. Das kann man kaum glauben. Wenn man mit Onkel Gerhard spazieren geht, gucken ihm alle nach. Onkel Gerhard ist zwei Meter lang und ungeheuer dünn. Beim Gehen knickt er ein und sieht aus wie ein Vogel. Auch seine Arme sind zu dünn und zu lang. Und sein Kopf ein bisschen zu klein. Seine grauen Haare lässt er immer kurz und stoppelig schneiden. Er zieht oft Jeans an und bunte Jacken, was Mutter für verrückt hält. Am tollsten ist seine Stimme. Sie klingt nämlich nicht dünn und hoch, sondern sehr tief und sehr laut. Onkel Gerhard ist Chemiker, aber eigentlich ist er Erfinder. Er sagt, ich erfinde Sachen, die niemand braucht. Das ist das Schönste. Als er das letzte Mal bei uns war, hat er auch wieder eine Erfindung ausprobiert. Wir aßen Suppe. Onkel Gerhard warf ein Körnchen in die Suppe. Die verwandelte sich »mirnixdirnix«, wie er sagte. Plötzlich war sie bloß noch ein Klumpen. Für alle Suppenkaspers ist diese Erfindung ein Segen, behauptete er. Mutter schimpfte fürchterlich. Ich finde Onkel Gerhard einfach klasse.

Mutter hatte tatsächlich schon wieder was zu schimpfen. Hoffentlich gibt's Pfingsten keinen Krach, dachte Ben. Das wäre schade.

Du fasst es nicht! Du fasst es nicht! Vater konnte sich überhaupt nicht beruhigen.

Ben sprang aus dem Bett und lief hinaus in den Garten.

Onkel Gerhard rief: Da ist er ja, der Siebenschläfer, der Sausebraus, der Sackhüpfer, der Säbelbeinige! Hurra! Er umschlang Ben mit seinen ellenlangen Armen und hob ihn hoch und fragte leise und freundlich: Geht's gut, Benjamin?

Hm.

Das musst du sehen, Ben, rief Holger. Aus einem Wassereimer wuchs ein Baum. Er wuchs schnell und war aus Schwamm oder einem ähnlichen Zeug.

Am Anfang war nichts da. Jetzt ist er schon so groß.

Mann, das ist ja unheimlich.

Nichts als eine normale Hexerei, brummelte Onkel Gerhard.

Wie hoch wird das Ding denn?, fragte Mutter besorgt.

Onkel Gerhard runzelte die Stirn. Och, etwa so hoch wie der Kölner Dom.

Du bist schlimmer als ein Kind, sagte Mutter.

Sind Kinder denn schlimm?, fragte Onkel Gerhard und brachte Mutter nun doch zum Lachen.

Ich geb's auf.

Wie Ben vorausgesehen hatte, zogen sich Holger, Onkel Gerhard und Vater zum Basteln zurück. Onkel Gerhard rieb sich die Hände: Mal gucken, ob wir nicht einen Dauerpiepser fabrizieren können.

Bitte! Mutter schrie beinahe um Hilfe.

Einen ganz, ganz leisen, fügte Onkel Gerhard tröstend hinzu. Ben hatte noch eine Menge zu tun. Er wollte sein Zimmer in Ordnung bringen, die Kiste von Trudi putzen. Alles wegen Anna.

Aus Holgers Zimmer drang nach einiger Zeit wirklich ein leises, aber dauerhaftes Piepsen.

Anna kam viel zu früh. Sie hatte sich, wie Ben, schön angezogen. Für Mutter brachte sie einen Blumenstrauß. Ben fand das alles übertrieben feierlich. Anna hatte anscheinend Spaß dran. Als sie Mutter den Strauß überreichte, machte sie einen Knicks und Ben schämte sich ein bisschen für sie. Aber Mutter strahlte Anna an und fragte: Willst du mit mir eine Vase aussuchen für die Blumen? Anna war Feuer und Flamme und die beiden verschwanden in der Küche. Anna kommt gleich, sagte Mutter noch. Als wäre das ein Trost. Anna besuchte ja ihn und nicht Mutter. Oder? Ben setzte sich aufs Fensterbrett in seinem Zimmer und wartete. Ziemlich lange. Mutter und Anna quatschten und quatschten wie aufgezogen. Als Anna an der Tür klopfte, hatte er ein unheimlich gutes Gefühl. Er riss die Tür auf. Anna staunte einen Augenblick. Toll! Sie sah Trudi und stürzte sich auf die Meersau. Ist die süß!

Das ist Trudi.

Anna redete mit Trudi und Ben redete mit Anna. Er wusste gar nicht worüber. Anna streichelte Trudi und schaute sich in Bens Zimmer um.

Du hast es schön.

Ja, sagte Ben. Er wagte nicht mehr zu sagen, denn er fragte sich, ob Anna es je so schön haben würde. Es ist gemein, dachte er, dass Annas Vater keine Arbeit kriegt. Es ist gemein, dass man es ihm, nur weil er aus Polen kommt, so schwer macht.

Anna fragte, ob sie das ganze Haus ansehen dürfe. Und den Garten, ergänzte Ben.

Er führte sie. Sie kam aus dem Staunen nicht heraus.

Dadurch wurde Ben immer trauriger. Schließlich sagte er leise: Dir soll's auch so gehen.

Sie sagte nicht: Wenn der Papa erst einmal Arbeit hat. Oder: Das schaffen wir schon.

Nein, sie sagte: In Katowice ist es viel kleiner, aber noch schöner als bei euch.

Möchtest du wieder zurück nach Polen?, fragte er.

Ich weiß nicht, sagte sie. Jetzt ist es eben so.

Er stellte Anna Vater, Onkel Gerhard und Holger vor.

Holger musterte Anna etwas spöttisch; aber es war ihm anzusehen, dass Anna bestanden hatte.

Onkel Gerhard überfiel Anna mit der Frage: Willst du mal ein elektronisches Meerschwein pfeifen hören?

Anna konnte nicht antworten, schon fiepten die Bausteine auf dem Tisch. Onkel Gerhard war glücklich über Annas Staunen, wedelte mit den langen Armen und Ben fürchtete, dass es gleich von der Decke regnen oder dass aus dem Teppich Gras wachsen würde.

Danach saßen sie im Garten, an der Wassertonne, bis Mutter zum Essen rief. Heute könnte man baden gehen, so warm ist es, fand Ben.

Mutter sagte, als sie sich rund um den Tisch setzten: Was für ein wunderschönes Wetter.

Onkel Gerhard hatte »höchstpersönlich« den Tisch gedeckt. Mutter guckte unsicher. Sie erwartete wohl eine Explosion oder so was Ähnliches. Onkel Gerhard tat, als könne er keine Bäumchen aus dem Wasser wachsen lassen und keine elektronischen Trudis bauen. Er unterhielt sich mit Vater über die Brücken, die ohne Straße in der Landschaft stehen. Baut ihr die aus Spaß?

Aber nein, das geschieht nach Plan. Die Straßen werden später zu den Brücken geführt.

Ich glaube, das sind Brückendenkmäler, lachte Onkel Gerhard.

Mutter bat Anna, ihr den Suppenteller zu geben. Da passierte es schon! Kaum war der Tellergrund mit Suppe bedeckt, begann es zu krachen, zu zischen, zu brodeln. Die tollsten Geräusche wurden laut. Krick, krack, kruck, pscht, pft, krscht, kreckkreck! Mutter stellte den Teller rasch ab. Gerhard! seufzte sie. Onkel Gerhard betrachtete verdutzt den lärmenden Teller.

So vieltönig habe ich mir das nicht vorgestellt. Sicher verstärkt die Hitze das Ganze. Großartig!

Außer Mutter fingen alle an zu lachen. Vater hörte allerdings mit einem Seitenblick auf Mutter wieder auf. Mutter schlug mit der Faust auf den Tisch. Jetzt reicht's! So viel Albernheit in einer Mannsperson ist nicht zu ertragen. Ich bitte dich, Gerhard, sammle die Teller ein und spül sie ab.

Aber die Kristalle sind unschädlich und ohne Geschmack. Sie schaden der Suppe nicht.

Bitte! Mutter ließ nicht mit sich handeln.

Onkel Gerhard spielte nun den Zerknirschten. Selbst das konnte er unübertrefflich. Sein Gesicht bekam Runzeln wie ein alter Lederapfel. Als er mit dem Tellerstapel in die Küche ging, krümmte er den Rücken und knickte noch mehr mit den Beinen ein als sonst. Er glich einem riesigen Hampelmann.

Aus der Küche hörten sie es erneut knallen und knirschen und krachen. Er ist unverbesserlich, klagte Mutter.

Ich finde ihn prima!, sagte Holger und Anna und Ben stimmten ihm zu.

Das Mittagessen verlief ohne weitere Störung. Vater schlug vor, an den nahen Stausee zu fahren. Alle waren einverstanden.

Onkel Gerhard musste schwören, wenigstens am Nachmittag nichts anzustellen. Er schaute Mutter tief in die Augen, senkte seine Stimme und flüsterte: Ich schwöre. Dann teilte er die Familie in zwei »Fuhren« auf. Anna und Ben sollten mit ihm fahren.

Also bei deiner Fahrweise! Mutter war mit nichts zufrieden. Vater legte seine Hand beschwichtigend auf ihren Arm.

Onkel Gerhard ließ sich nicht davon abbringen. Er sagte: Ich bin vierhunderttausendachthunderteinundzwanzig Kilometer und sechshundertzweiundneunzig Meter unfallfrei gefahren, verehrte Schwägerin.

Du kannst mir dieses reizende Paar ohne Sorge überlassen.

Beide, Anna und Ben, mussten hinten sitzen. Sie rückten in der Mitte der breiten Polsterbank eng zusammen.

Onkel Gerhard lugte öfter in den Rückspiegel. Nach einer Weile sagte er: Wisst ihr, ihr kommt mir vor wie zwei Vögelchen auf der Stange.

Na ja, murmelte Ben und rückte ein bisschen ab von Anna. Aber sie rutschte ihm nach.

## Anna und Ben tauchen

Vater bestand auf einem Spaziergang von mindestens zwei Stunden. Mutter unterstützte ihn. Holger motzte. Immer dieser Familiengänsemarsch durchs Grüne. Er möchte am See bleiben. Anna und Ben ebenso. Onkel Gerhard kümmerte sich nicht um den Familienstreit. Er machte Kniebeugen und genoss auf seine Weise die gute Luft.

Vater gab nicht nach. So zogen sie mürrisch hinter ihm her. Mit der Zeit besserte sich die Laune. Holger schnitzte mit seinem Taschenmesser einen Pfeil nach dem andern. Anna und Ben ließen sich von Onkel Gerhard unterhalten. Er erzählte die erstaunlichsten Dinge. Zum Beispiel, dass er einer der wenigen Auserwählten sei, die das Tubenessen der Astronauten vorkosten dürfen. Die Paste aus der lilanen Tube fürs Abendessen habe er besonders gut in Erinnerung. Sie schmeckte nach Hasenbraten, Rollmops, Apfelstrudel und Kaugummi auf einmal.

Und deswegen bin ich so dünn. Das ist doch klar, nicht wahr?

Sie glaubten ihm kein Wort, hörten ihm jedoch gern zu.

Warum bis du eigentlich nicht verheiratet?, fragte Ben.

Weil ich Angst davor habe.

Die Antwort verblüffte Ben. Du – und Angst?

Onkel Gerhard hielt an und bohrte den Stock, den ihm Holger geschnitzt hatte, in den Waldboden. Überlegt mal, ihr zwei Turteltäubchen, wenn die Grete, Bens Mutter, und die hat ein gutmütiges Herz, mich und meine Zauberkünste schon nicht ertragen kann, wie sollte das erst eine Frau, die Tag und Nacht mit mir zusammenlebt? Aus diesem Grunde habe ich es vorgezogen – na ja. Er hörte auf zu sprechen, riss den Stock aus der Erde, war auf einmal sehr ernst und doch wieder nicht und sagte: Wü hoißt der Spruch? Drrrum prrrrüfe wör süch öwig bündet. Und nun lasst mich mal nachdenken und schert euch weg.

Sie flohen vor Onkel Gerhards gespieltem Zorn in den Wald. Ben kam, als sie im Unterholz verschnauften, auf die Idee, den Weg abzukürzen und am See entlangzuwandern. Anna war nicht sicher, sie wollte lieber den andern folgen. Die wissen ja nicht, warum wir weg sind, und suchen nach uns.

Niemals, meinte Ben. Die können sich denken, dass wir umgekehrt sind.

Anna nahm seine Hand.

Das gefiel ihm. Sie rannten Hand in Hand zwischen den Bäumen und erreichten bald den See. Kein Mensch war zu sehen. Nur draußen auf dem Wasser ein paar Ruderboote. Ben zog Strümpfe und Schuhe aus und planschte im Wasser.

Anna tat es ihm nach. Sie häuften Reisig und bauten einen Damm.

Ben spritzte aus Spaß und Anna rannte am Ufer entlang. Sie war so schnell wie er.

Außer Atem setzten sie sich auf einen Baumstamm, schwiegen, hörten nur ihren heftigen Atem und Vögel, die ungewöhnlich laut sangen und zwitscherten.

Ich bin ganz nass, sagte Anna.

Ich auch, sagte er.

Sie zog ihr Kleid über den Kopf und hängte es zum Trocknen an einen Ast. Er fragte sich, ob er sein T-Shirt ausziehen sollte. Weil er sich nicht entschließen konnte, weil er verlegen war, weil er nicht mehr still sitzen konnte, sprang er auf, preschte ins Wasser und spritzte sich von unten bis oben nass.

Jetzt bade ich, sagte er. Er zog sich ganz schnell nackt aus und tauchte ins Wasser. Die Kälte überraschte ihn. Er dachte: Ich schnurre zusammen und werde ganz klein.

Anna hatte ihm erst verblüfft zugeschaut, sich dann ebenfalls ausgezogen und zappelte neben ihm im Wasser.

Aua, ist das eisig!

Sie klammerte sich an ihn wie ein Äffchen. Er riss sie mit sich unters Wasser. Los ließ er sie nicht. Als sie zusammen auftauchten, spuckten sie, japsten und gurgelten und er fand es herrlich, sie zu spüren wie einen Fisch.

Im Wasser bin ich leicht. Da kannst du mich tragen, sagte sie. Ben hielt sie auf den Armen und spürte kaum ihr Gewicht. Er wiegte sie hin und her.

Sie sagte: Du darfst mich nicht so angucken.

Ich guck dich gar nicht an, behauptete er. Und guckte sie umso genauer an.

Lass mich los, bat sie. Ich möchte raus.

Nein.

Er drückte sie fest an sich und wollte sich wärmen.

Bitte, bitte, Ben!

Also gut.

Auf einmal schämte er sich, als sie nackt vor ihm herlief. Er blieb stehen, drehte sich um und schaute auf den See.

Wir haben nichts zum Abtrocknen, jammerte Anna.

Du musst nur hin- und herrennen.

Und wenn uns jemand sieht?

Da ist doch keiner, Quatsch. Er kam sich unheimlich erwachsen vor.

Er lugte nach ihr. Sie hatte ein knallrotes Frotteehöschen an und rannte mit wirbelnden Armen um einen Baum herum. Er zog sich ebenfalls die Unterhose an, setzte sich auf den Baum und bibberte am ganzen Leib. Anna merkte es, brachte ihr Kleid und sagte: Deck dich zu.

Dann wird es nass.

Das macht nichts.

Sie setzte sich neben ihn, sagte: Ich bin schon trocken.

Sie wickelte das Kleid um sie beide. Er hörte nicht auf zu bibbern, obwohl er sich dagegen wehrte und still halten wollte. Anna begann ihn zu reiben und zu rubbeln. Allmählich wurde ihm wärmer.

Besser?, fragte sie.

Er nickte. Seine Zähne klapperten jedoch noch aufeinander.

Anna umarmte ihn und zog ihn an sich. Er rührte sich nicht. Sie blieben lange so sitzen.

Er fühlte, wie ihre Wärme zu ihm wanderte.

Nun sind wir gleich warm, sagte er nach einer Weile.

Anna sprang auf und rief: Fang mich. Sie war wie ein Wiesel. Immer um Bäume rum. Er kriegte sie einfach nicht.

Plötzlich blieb sie stehen. Er war nicht darauf gefasst und rannte sie um. Sie rollten miteinander in eine Kuhle.

Ihr Gesicht berührte seines.

Ben dachte: Es soll gar nicht mehr aufhören.

Ben sagte, was er nicht sagen wollte: Du, meine Eltern warten.

Sie zogen sich an.

Schuhe und Strümpfe behielten sie in der Hand.

Es ist besser, wir gehen am See entlang.

Er hatte Recht. Hinter der nächsten Bucht stießen sie

auf die andern. Zu Bens Verwunderung schimpfte keiner. Mutter schmunzelte und fragte, ob sie überhaupt keinen Hunger hätten.

Doch.

Sie picknickten. Die Sonne ging unter. Es wurde kühl.

Holger machte mit Onkel Gerhard und Vater ein großes Feuer. Mutter spießte Würstchen auf. Ben war auf einmal schrecklich müde. Er legte sich flach hin, schloss die Augen und hörte Mutter und Anna sich unterhalten. Anna erzählte, dass sie gebadet hätten. Hoffentlich habt ihr euch nicht erkältet, sagte Mutter.

Dann schlief er ein und wachte davon auf, dass es direkt vor seiner Nase wunderbar nach Bratwurst duftete. Anna hielt sie ihm unter die Nase. Alle lachten.

Als sie Anna vor der Baracke absetzten, war es Nacht.

Hoffentlich schimpfen deine Eltern nicht.

Bestimmt nicht, sagte Anna. Dann sagte sie noch: Danke.

Onkel Gerhard fuhr los, dass die Steine spritzten. Na, fragte er, was sagst du zur Lage, Benjamin Körbel?

Ganz gut, murmelte Ben.

Du untertreibst, mein Lieber, stellte Onkel Gerhard fest.

## Die zweite Zeile

In den Ferien trafen sich Anna und Ben nicht mehr. Sie kam nicht. Und Ben wollte sie nicht besuchen. Dabei dachte er dauernd an Anna. Einmal hat er sogar von ihr geträumt.

Sie spielten wieder am See. Anna war viel zu weit hinausgeschwommen. Er versuchte, sie zu erreichen. Seine Beine wurden schwer. Er sank unter. Als er schon beinahe ertrunken war, wachte er auf.

Mutter fragte, ob Anna und er Krach hätten. Das ärgerte ihn. Er ließ sie ohne Antwort stehen.

Alle waren gemein. Anna auch.

Er hoffte, dass sie am ersten Schultag fehlen würde.

Aber sie war da.

Er sah sie gleich, als er auf den Schulhof kam.

Sie flüsterte Jens was ins Ohr. Er könnte sie verprügeln. Jens auch. Er könnte heulen.

Am liebsten würde er umdrehen und die Schule schwänzen.

Anna lachte.

Jens lachte.

Ben strich langsam an den beiden vorbei, die Fäuste geballt in den Hosentaschen, und sagte: Jensi, du Arsch.

Was hast du denn?, fragte Anna. Warum bis du so gemein zu Jens?

Weil er gemein zu mir ist.

Das ist doch nicht wahr. Er hat dir nichts getan.

Du musst es ja wissen.

Anna griff Jens am Arm, wie sie es bei ihm getan hatte, zog ihn weg.

Der spinnt. Der Ben spinnt wirklich.

In der Stunde passte er nicht auf. Er dachte: Ich werde krank. Ich bin krank. Ich möchte heim. Ich möchte sterben. Dann wird Anna alles Leid tun.

In der Pause stand er allein für sich.

Anna holte ihn nicht.

Ich habe Fieber, dachte er. Alles spielte sich weit weg von ihm ab, erreichte ihn nicht.

Er trottete, als es klingelte, hinter den anderen her. Keiner kümmerte sich um ihn. Zum ersten Mal entdeckte er, dass der Boden auf dem Gang grün war. Das ist komisch, dachte er. Für mich war der immer grau. Und in Wirklichkeit ist er grün.

Da er Seibmanns Schritte hinter sich hörte, beeilte er sich. Die Klasse schien mehr auf ihn zu warten als auf den Lehrer. Er musste nicht lange nachforschen, warum. An der Tafel stand in großen Buchstaben

BEN LIEBT ANNA.

Er hatte gewusst, dass sie ihm noch was antun würden. Das gehörte zu seiner Krankheit. Sonst würde nicht alles in ihm so wehtun.

Er stand wie angewurzelt zwischen Tischen und Tafel. Es war sonderbar, dass die andern nicht lachten, sondern den Atem anhielten, von ihm etwas erwarteten.

Ben hatte nicht bemerkt, dass Herr Seibmann die Tür leise hinter sich zugezogen hatte, neben ihm stand und, wie er, auf die Tafel starrte. Er spürte die große Hand auf seiner Schulter. Sie streichelte ihn unmerklich.

Die Klasse begann zu summen. Ben zog ängstlich die Schultern zusammen. Gleich würde der Krach ausbrechen. So war es. Sie schrien durcheinander: Ben liebt Anna! Ben liebt Anna!, kreischten sie, lachten.

Herr Seibmann packte Ben fester und wartete einen Augenblick. Ben konnte das Schluchzen kaum mehr zurückhalten. Er fürchtete, seine Brust könnte auseinander springen.

Ganz langsam drehte sich Herr Seibmann um. Ben drehte er mit sich, so dass auch Ben in die Klasse sehen musste. Sie machten Bewegungen wie in einem alten Film, wie Stan und Olli.

Einer nach dem andern setzte sich.

Einer nach dem andern schwieg.

Vielen Dank, sagte Herr Seibmann.

Ben bemühte sich, nicht in die Richtung zu schauen,

wo Anna saß. Sie hat einfach mitgemacht. Sie hat es zugelassen. Sie hat mit allen gelacht. Sie hat ihn verspottet. Anna hat ihn verspottet.

Da fehlt eine Zeile auf der Tafel, sagte Herr Seibmann. Er sprach so leise, dass sich keiner zu mucksen traute.

Kann mir einer von euch helfen? Einige schüttelten den Kopf. Die meisten glotzten Seibmann verdutzt an. Auch Ben fiel nicht ein, was Seibmann meinte.

Herr Seibmann ließ Ben los, strich ihm kurz über den Kopf, machte die paar Schritte zur Tafel, nahm die Kreide und schrieb unter

BEN LIEBT ANNA mit ebenso großen Buchstaben

ANNA LIEBT BEN.

Ben las beim Schreiben mit. Bei jedem Buchstaben wurde er noch trauriger. Das stimmt ja nicht, hätte er am liebsten geschrien. Doch damit hätte er sich endgültig lächerlich gemacht.

Zur Liebe gehören nämlich zwei, sagte Herr Seibmann. Er ließ die beiden Sätze stehen, führte Ben zu seinem Stuhl und erklärte: Ihr könnt ja nach der Stunde darüber nachdenken. Jetzt wollen wir uns erst einmal im Kopfrechnen üben.

Er musterte Ben nachdenklich: Ist dir nicht gut, Ben?

Weißt du was? Wenn du willst, darfst du nach Hause gehn.

Ben ließ sich das nicht zweimal sagen. Er nahm den Ranzen und rannte aus dem Klassenzimmer.

## Ben wird krank und Anna geht

Ben wurde tatsächlich krank. Er bekam hohes Fieber. Mutter nahm sich seinetwegen frei. Der Doktor besuchte ihn jeden Tag, drückte mit der flachen Hand auf den Bauch und horchte an der Brust. Holger las ihm manchmal vor, aber Ben war viel zu müde, um richtig zuzuhören. Tag und Nacht wechselten, ohne dass er es unterscheiden konnte. Nur wenn Vater auf dem Bettrand saß, wusste Ben, dass es Abend sein musste. Ben träumte viel. Es war immer ein blödes Durcheinander, in dem meistens Anna vorkam.

Er dachte auch, dass er vielleicht wegen Anna krank geworden ist, doch der Doktor sagte, er habe eine komplizierte Grippe. Sogar Onkel Gerhard kam auf einen Sprung. Er fragte Ben, warum er so mirnixdirnix Bazillen fresse, hustete und prustete, fürchtete angesteckt zu werden und schenkte Ben ein schönes altes Blechauto für seine Modellsammlung.

Als Ben schon fast gesund war, der Doktor feststellte, er könne in zwei Tagen wieder zur Schule gehen, erzählte Vater ihm, dass er Mitscheks besucht habe. Er sagte: Anna geht es prima und sie lässt dich grüßen.

Hast du sie gesehen?

Ja. Ich habe ihren Vater besucht.

Ben dachte ängstlich: Vielleicht wegen mir und Anna.

Aber Vater sagte: Weißt du, ich hab mir gedacht, vielleicht kann ich Herrn Mitschek helfen, ihm eine Arbeit beschaffen. Das ist ja schlimm, so warten zu müssen, so hin- und hergeschoben zu werden. Der Herr Mitschek hat deshalb auch eine Mordswut. Doch er hat die Sache selber angepackt. Er hat nicht mehr die Geduld gehabt, die man wohl von Menschen wie ihm erwartet. Er hat einfach an ein paar Kohlengruben im Ruhrgebiet geschrieben und von einer hat er jetzt Bescheid bekommen. Er kann sofort anfangen. Die Familie kriegt sogar eine Wohnung. Mir hat gefallen, dass er nicht alles mit sich machen lässt.

Ben dachte nur an Anna.

Er dachte: Anna geht weg. Anna geht weg. Und er fragte: Anna geht auch weg?

Ja, sagte Vater. Das ist schade. Aber ihr könnt euch ja Briefe schreiben.

Ben drehte sich zur Wand und Vater blieb noch eine Weile bei ihm sitzen, ohne zu reden.

Anna überraschte ihn. Sie wartete, als er zum ersten Mal wieder zur Schule ging, am Garagentor. Mutter hatte es gewusst, ihm aber kein Wort gesagt. Erst wollte er auf Anna zurennen. Dann ging er ganz langsam.

Hat dich jemand hergebracht?, fragte er.

Nein.

Dann bist du ja schon lange auf. Das finde ich toll.

Anna erzählte von der Schule.

Er fragte nach Jens und nach Bernhard. Anna ging darauf nicht ein, sondern sagte: Ich geh weg, mit meinen Eltern.

Ja, sagte Ben, ich weiß.

Schon nächste Woche. Und dann sagte Anna etwas, das Ben schön fand: Ich bin traurig. Wegen dir. Weil wir uns dann nicht mehr sehen.

In der Schule feierten sie einen großen Abschied von Anna. Die Klasse hatte gesammelt und Herr Seibmann überreichte ihr einen neuen Ranzen. Anna war ungeheuer verlegen. Ben begleitete sie nach Hause. Er wollte ihr vorschlagen, noch einmal zu dem Häuschen am Bahndamm zu gehen. Er tat es nicht, weil sie aufgeregt war und weil ihre Eltern schon packten. Alle gaben ihm die Hand. Annas Mutter küsste ihn auf beide Backen, was er komisch fand.

Wir werden von uns hören lassen, sagte Herr Mitschek. Dein Vater ist in Ordnung.

Du auch, sagte Anna.

Sie begleitete ihn noch ein Stückchen zurück.

Plötzlich blieb sie stehen. Ich muss jetzt helfen, sonst schimpft Mama.

Ben dachte: Zum Abschied muss ich Anna einen Kuss geben. Es kam nicht dazu. Anna stupste ihn gegen die Brust und rannte wie verrückt fort. Er sah ihr einen Augenblick nach. Dann rannte auch er los. Viele Sätze gingen in seinem Kopf durcheinander. Ich hab Anna lieb. Anna geht weg. Ich muss Anna gleich einen Brief schreiben. Anna kann uns ja besuchen. Ich hab Anna wirklich lieb.

Er hätte heulen können. Aber er heulte nicht.

# Inhalt

Peter Härtling
**Oma**
Die Geschichte von Kalle, der seine Eltern verliert
und von seiner Großmutter aufgenommen wird
Mit Bildern von Peter Knorr
Gulliver Taschenbuch (78101), 108 Seiten  *ab 8*
*In neuer Rechtschreibung*

Fünf Jahre alt ist Kalle, als er seine Eltern verliert. Erst kann er es
gar nicht begreifen. Seine Oma nimmt ihn zu sich. Da merkt
Kalle, dass alles ganz anders ist als früher mit Vater und Mutter.
Oma ist prima, aber – alt! Und Oma denkt: Hoffentlich kann ich
den Jungen richtig erziehen – in meinem Alter! Sie erzählt Kalle
von »damals«, als alles anders war. Sie machen zusammen eine
Reise und haben viel Spaß miteinander. Kalle ist zehn, als Oma
krank wird. Da zeigt sich, dass auch sie ihn braucht.

Die »Deutsche Lesegesellschaft« schreibt dazu: »Ein
vorbildliches Buch über das Zusammenleben von zwei völlig
verschiedenen Generationen.« Und die »Hannoversche
Allgemeine« meint: »Für Schmus ist in dieser trockenen
Liebeserklärung an die Großmutter kein Platz.«

*Deutscher Jugendbuchpreis*
*Wilhelmine-Lübke-Preis*

Beltz & Gelberg
Beltz Verlag, Postfach 100154, 69441 Weinheim